LE CLUB DES BABY-SITTERS

L'IDÉE GÉNIALE DE KRISTY

D1057520

UNE BD DE
RAINA TELGEMEIER

LE CLUB DES BABY-SITTERS

L'IDÉE GÉNIALE DE KRISTY

D'APRÈS LE ROMAN DE
ANN M. MARTIN

MISE EN COULEUR DE BRADEN LAMB
TEXTE FRANÇAIS D'ISABELLE ALLARD

Éditions
■SCHOLASTIC

Catalogage avant publication de Bibliothèque et Archives Canada

Telgemeier, Raina

[Kristy's great idea. Français]

L'idée géniale de Kristy / Raina Telgemeier ; texte français
d'Isabelle Allard.

(Le club des baby-sitters ; 1)

Traduction de l'adaptation de : Kristy's great idea / Ann M. Martin.

ISBN 978-1-4431-4730-9 (couverture souple)

1. Romans graphiques. I. Titre. II. Titre : Kristy's great idea. Français

PZ23.7.T45Id 2015   j741.5'973   C2015-901544-8

Édition publiée par les Éditions Scholastic, 604, rue King Ouest, Toronto (Ontario) M5V 1E1

10 9 8 7 6   Imprimé en Malaisie   108   19 20 21 22 23

Conception graphique de Phil Falco.
Direction artistique de David Saylor.

Ce livre est dédié à Beth McKeever Perkins, mon ancienne copine de baby-sitting.
Avec toute mon affection (et des années de souvenirs).

A. M. M.

Merci à ma famille et à mes amis, KC Witherall, Marisa Bulzone, Jason Little,
Ellie Berger, Jean Feiwel, David Saylor, David Levithan, Janna Morishima,
Cassandra Pelham, Phil Falco, Braden Lamb, mes collègues bédéistes et A. M. M.,
une grande source d'inspiration.

R. T.

KRISTY THOMAS
PRÉSIDENTE

CLAUDIA KISHI
VICE-PRÉSIDENTE

MARY ANNE SPIER
SECRÉTAIRE

STACEY MCGILL
TRÉSORIÈRE

LE CLUB DES BABY-SITTERS. JE SUIS FIÈRE DE DIRE QUE C'ÉTAIT MON IDÉE, MÊME SI NOUS L'AVONS MIS SUR PIED ENSEMBLE.

« NOUS », C'EST MARY ANNE SPIER, CLAUDIA KISHI, STACEY MCGILL ET MOI, KRISTY THOMAS.

TOUT A COMMENCÉ LE PREMIER MARDI DE LA 7ᵉ ANNÉE...

J'AI CHAUD...

DRRRINNG!

HOURRA!!!

HUM.

KRISTY...

HEU, LES AUTRES...

N'OUBLIEZ PAS VOTRE DEVOIR. VOUS POUVEZ PARTIR. KRISTY, J'AIMERAIS TE PARLER UN INSTANT.

M. REDMONT?

JE SUIS DÉSOLÉE. CE N'EST PAS CE QUE VOUS PENSEZ...

JE **N'ÉTAIS PAS** CONTENTE QUE L'ÉCOLE SOIT FINIE, C'ÉTAIT PLUTÔT L'IDÉE DE RENTRER CHEZ MOI, DANS UNE MAISON CLIMATISÉE ET...

KRISTY, PENSES-TU QU'À L'AVENIR TU POURRAIS TE COMPORTER AVEC UN PEU PLUS DE DÉCORUM?

« DÉCORUM »?

SALUT.

MARY ANNE, JAMAIS TU NE POURRAS METTRE DE VERNIS SI TU TE RONGES LES ONGLES!

BOF. J'AURAI BIEN **75** ANS AVANT QUE MON PÈRE ME PERMETTE DE METTRE DU **VERNIS À ONGLES**.

MARY ANNE SPIER EST MA MEILLEURE AMIE.

7

ELLE EST TIMIDE ET RÉSERVÉE. MA MÈRE DIT QUE C'EST PARCE QUE SON PÈRE S'INQUIÈTE TROP. LA MÈRE DE MARY ANNE EST MORTE QUAND ELLE ÉTAIT PETITE.

MARY ANNE N'A NI FRÈRE NI SŒUR, ALORS SON PÈRE N'A QU'ELLE.

CHEZ ELLE, IL Y A PLEIN DE RÈGLEMENTS, MAIS JE PENSE QUE...

OH MON DIEU!

QUOI DONC?

ON EST MARDI!!

8

ET PUIS? RALENTIS, KRISTY! IL FAIT TROP CHAUD POUR COURIR.

JE NE PEUX PAS RALENTIR.

MARDI, C'EST LE JOUR OÙ JE SURVEILLE MON FRÈRE, DAVID MICHAEL...

JE DOIS ARRIVER À LA MAISON AVANT LUI!

MES GRANDS FRÈRES, SAM ET CHARLIE, ET MOI SURVEILLONS NOTRE PETIT FRÈRE APRÈS L'ÉCOLE UN JOUR PAR SEMAINE CHACUN.

HAN!
HAN!

DAVID MICHAEL?

OUIIIIIN!

QU'Y A-T-IL?

LA PORTE EST FERMÉE À CLÉ!

OÙ EST PASSÉE TA CLÉ?

JE NE SAIS PAS.

VOYONS...

TOUT EST ARRANGÉ!

NON!

RIEN N'EST ARRANGÉ!

JE NE POUVAIS PAS ENTRER ET JE DOIS ALLER AUX TOILETTES!

QUAND DAVID MICHAEL EST COMME ÇA, IL FAUT IGNORER SES LARMES ET FAIRE COMME SI TOUT ALLAIT BIEN.

OUAF! OUAF!

HÉ, LOUIE!

OUAF! OUAF!

EN ATTENDANT, JE VAIS FAIRE DE LA LIMONADE, D'ACCORD?

D'ACCORD!

CLIC

RRRRRRRR

HÉ...

TIENS.

ALLLÔÔÔ!

SALUT, CHARLIE.

BONJOUR, LES FILLES. SALUT, MINUS.

JE **NE** SUIS **PAS** UN MINUS.

SAM ET MOI, ON VA JOUER AU BALLON CHEZ LES HANSON. VIENS-TU, KRISTY?

HEU... MARY ANNE ET MOI, ON PENSAIT EMMENER DAVID MICHAEL AU RUISSEAU.

QU'EN DIS-TU, DAVID MICHAEL?

À PLUS TARD!

BAM!

21 H, D'ACCORD?

D'ACCORD.

BONSOIR, LES ENFANTS!

ZA PIZZA

ESS

UNIVERSIT

JE ME DEMANDE CE QU'ELLE VEUT...

OUAIS...

ESS

UNIVERSIT

EN QUEL HONNEUR AS-TU ACHETÉ UNE PIZZA, MAMAN?

KRISTYYY...

QU'AS-TU À NOUS DEMANDER?

PIZZA

17

BON, D'ACCORD. KATHY NE PEUT PAS GARDER DAVID MICHAEL DEMAIN. ALORS, JE ME DEMANDAIS CE QUE VOUS...

ENTRAÎNEMENT DE FOOTBALL.

CLUB DE MATHS.

JE GARDE CHEZ LES NEWTON.

ZUT.

ON EST DÉSOLÉS.

JE LE SAIS BIEN.

MARY ANNE? C'EST MME THOMAS.

JE CHERCHE UNE GARDIENNE POUR DEMAIN.

TU GARDES CHEZ LES PIKE? BON.

BONJOUR, CLAUDIA.

UN COURS D'ART? JE VOIS.

BONJOUR, CYNTHIA...

PRATIQUE DE MENEUSES DE CLAQUE? OH.

C'EST LÀ QUE L'IDÉE M'EST VENUE.

BONNE NOUVELLE! MME NEWTON DIT QUE TU POURRAS AMENER DAVID MICHAEL QUAND TU IRAS GARDER JAMIE, KRISTY.

KRISTY?

C'EST SUPER, MAMAN... JE PEUX SORTIR DE TABLE, MAINTENANT?

CHAPITRE 2

DÉCORUM...
DÉCORUM...

AHA!

?

BIENSÉANCE,
ÉTIQUETTE...
JE VOIS.

③ Choisir à quels moments recevoir les appels

✰ Où se réunir?

TOC
TOC

ENTRE!

ALLÔ, MA BELLE.

clic

COMMENT C'ÉTAIT, L'ÉCOLE?

...

KRISTY?

BIEN.

BON, QU'EST-IL ARRIVÉ?

TU SAIS COMME IL A FAIT CHAUD? DES FOIS, UNE JOURNÉE CHAUDE PEUT PARAÎTRE TRÈS LONGUE.

KRISTY, VIENS-EN AU FAIT.

C'EST TRÈS BIEN, KRISTY.

PENSES-TU QUE ÇA VA SI LE 100ᵉ MOT EST « FIN »?

JE CROIS BIEN.

OH... 21 H!

CLIC

« AI BONNE IDÉE. CLUB DE
BABY-SITTERS. IMPORTANT ET
URGENT. PLEIN DE TRAVAIL. »

« QUOI? »

« IDÉE CLUB
BABY-SITTERS.
IMPORTANT »

25

« SUPER. À DEMAIN. »

TOC TOC clic

ENTRE!

JE VOULAIS JUSTE TE DIRE QUE...

JE SORS AVEC WATSON SAMEDI SOIR.

GRRR

JE NE TE DEMANDE PAS LA PERMISSION. JE VOULAIS JUSTE TE PRÉVENIR AVANT QUE TU PLANIFIES TA FIN DE SEMAINE.

CHARLIE A UN RENDEZ-VOUS, MAIS SAM SERA ICI.

HUM.

J'AIMERAIS QUE TU SOIS UN PEU PLUS OUVERTE ENVERS WATSON. JE NE PEUX PAS T'OBLIGER À L'AIMER, MAIS TU DEVRAIS LUI LAISSER UNE CHANCE.

26

UNE DERNIÈRE CHOSE...

WATSON A SES ENFANTS EN FIN DE SEMAINE ET IL TRAVAILLE SAMEDI MATIN...

IL SE DEMANDAIT SI TU POURRAIS GARDER ANDREW ET KAREN PENDANT QU'IL EST AU BUREAU.

PAS QUESTION. ARRÊTE DE ME LE DEMANDER.

JE NE **VEUX** PAS GARDER SES ENFANTS.

JE NE VEUX PAS LES **RENCONTRER. JAMAIS.**

BON. COMME TU VEUX.

TE COUCHES-TU BIENTÔT?

OUI.

LAISSE LA PORTE OUVERTE.

27

HÙM... ET SI MAMAN SE MARIE AVEC WATSON?

ON EST TRÈS HEUREUX COMME ON EST.

CHAPITRE 3

LE LENDEMAIN...

C'EST PARFAIT, KRISTY. TU T'EXPRIMES TRÈS BIEN PAR ÉCRIT.

PLUS TARD

TU GARDES CHEZ LES PIKE AUJOURD'HUI?

OUI!

COMBIEN D'ENFANTS?

DEUX. CLAIRE ET MARGO.

TU POURRAIS LES EMMENER CHEZ LES NEWTON. ELLES JOUERAIENT AVEC JAMIE ET DAVID MICHAEL.

BONNE IDÉE! ET TU POURRAS ME PARLER DU CLUB DE BABY-SITTING.

D'ACCORD! À TANTÔT!

PLUS TARD...

DING DONG!

BONJOUR!

BONJOUR, JAMIE.

REGARDE CE QUE J'AI!

UN G.I. JOE!

EN AS-TU D'AUTRES?

OUI! VIENS!

HEUREUSEMENT QU'IL Y A LES G.I. JOE!

DÉSOLÉE POUR DAVID MICHAEL, MAIS ON DIRAIT QU'ILS VONT BIEN S'ENTENDRE.

J'EN SUIS CERTAINE... JAMIE DOIT S'HABITUER À LA PRÉSENCE D'AUTRES ENFANTS.

QUAND LE BÉBÉ NAÎTRA-T-IL?

DANS HUIT SEMAINES ENVIRON.

J'AIMERAIS QU'IL SE DÉPÊCHE.

À **QUI** LE DIS-TU!

JE VAIS CHEZ LE MÉDECIN ET FAIRE DES COURSES. JE SERAI DE RETOUR À 17 H 30.

D'ACCORD.

ALLÔ!

ALLÔ!

BON, PARLE-MOI DE CE CLUB DE BABY-SITTING.

J'AI PENSÉ QU'ON POURRAIT S'ASSOCIER AVEC DEUX AUTRES FILLES...

ET FORMER UN CLUB.

UNE ESPÈCE DE COMPAGNIE.

BOUM!

JAMIE!

OUIIIN!

33

PLUS TARD...

CLAUDIA!

TON VISAGE! ON DIRAIT QUE...

TU T'ES MAQUILLÉE POUR LE CIRQUE. C'EST TELLEMENT **COLORÉ!**

MERCI, **VRAIMENT!**

HONNÊTEMENT, CLAUDIA, TU N'AS PAS **BESOIN** DE MAQUILLAGE. TU AS UN SI BEAU VISAGE!

BEL ESSAI.

VAS-TU ALLER À L'ÉCOLE COMME ÇA DEMAIN?

SI JE PEUX, OUI.

VIENS DIRE BONJOUR À MA GRAND-MÈRE.

BONJOUR, MIMI.

KRISTY! HEUREUSE DE TE VOIR!

ON VA EN HAUT.

CLAUDIA VIEILLIT PLUS VITE QUE MARY ANNE ET MOI...

HEU... OÙ EST TA SŒUR?

LE GÉNIE?

JANINE EST SÛREMENT EN TRAIN D'ÉTUDIER.

MARY ANNE SERA ICI DANS QUELQUES MINUTES. J'AI UNE SUPER BONNE IDÉE À VOUS PROPOSER.

QUOI DONC?

UN CLUB DE BABY-SITTERS.

UN CLUB DE BABY-SITTERS?

OUI, JE VAIS TOUT T'EXPLIQUER QUAND...

DING DONG!

SALUT, LES FILLES!

BON, KRISTY, PARLE-NOUS DE TON IDÉE.

COMME ON FAIT TOUTES DU BABY-SITTING, ON DEVRAIT S'ASSOCIER.

ON POURRAIT FAIRE DE LA PUB POUR AVOIR PLUS DE CLIENTS.

ON SE RÉUNIRAIT QUELQUES FOIS PAR SEMAINE, ET ON DONNERAIT NOS HORAIRES AUX CLIENTS...

D'UN SEUL APPEL, ILS POURRAIENT NOUS JOINDRE TOUTES EN MÊME TEMPS.

SUPER!

OUI!

PAR EXEMPLE, SI MME PIKE VOULAIT **DEUX** GARDIENNES, ELLE N'AURAIT QU'UN APPEL À FAIRE.

EXACTEMENT!

IL RESTE DEUX QUESTIONS À RÉGLER.

D'ABORD, OÙ DEVRAIT-ON SE RÉUNIR?

ENSUITE, QUI D'AUTRE POURRAIT SE JOINDRE À NOUS?

JE PEUX RÉPONDRE AUX **DEUX** QUESTIONS.

ON SE RÉUNIRA ICI PARCE QUE J'AI UN TÉLÉPHONE DANS MA CHAMBRE.

OH, GÉNIAL!

ET JE CONNAIS QUELQU'UN QUI AIMERAIT PEUT-ÊTRE FAIRE PARTIE DU CLUB.

QUI?

ELLE EST NOUVELLE. ELLE VIENT D'ARRIVER À STONEYBROOK. ELLE HABITE AVENUE FAWCETT ET ELLE EST À UN DE MES COURS. ELLE S'APPELLE STACEY MCGILL.

HEU, D'ACCORD. MAIS IL FAUDRA QU'ON LA RENCONTRE.

BIEN SÛR. VOUS ALLEZ L'AIMER. ELLE VIENT DE NEW YORK.

ON POURRAIT SE RÉUNIR ICI DEMAIN À 17 H 30?

BONNE IDÉE. À DEMAIN!

CHAPITRE 4

LE LENDEMAIN...

HÉ, CLAUDIA! PAS DE MAQUILLAGE AUJOURD'HUI?

MES PARENTS NE VOULAIENT PAS.

TU PORTES QUAND MÊME TES CRÂNES!

JE LES AI MIS EN ARRIVANT À L'ÉCOLE. MIMI EST LA SEULE ADULTE ICI EN CE MOMENT. ÇA NE LA DÉRANGE PAS.

RUSÉE!

STACEY EST DÉJÀ ARRIVÉE... ET JANINE EST ICI.

AÏE.

ET SA PORTE EST OUVERTE.

SALUT, KRISTY.

J'AI ENTENDU TA VOIX.

SALUT, JANINE.

41

SEULEMENT CE QU'ON S'EST DIT HIER.

GARDAIS-TU DES ENFANTS À NEW YORK?

OUI, TOUT LE TEMPS!

ON VIVAIT DANS UN GRAND IMMEUBLE. IL Y AVAIT PLUS DE 200 APPARTEMENTS.

SUPER!

JE METTAIS DES ANNONCES DANS LA BUANDERIE. LES GENS M'APPELAIENT SOUVENT.

JE PEUX SORTIR JUSQU'À 22 H LE VENDREDI ET LE SAMEDI.

SUPER!

J'AIMERAIS FAIRE PARTIE DU CLUB. JE NE CONNAIS PAS ENCORE BEAUCOUP DE MONDE ICI.

CE SERAIT BIEN DE GAGNER UN PEU D'ARGENT. MES PARENTS PAIENT POUR MES VÊTEMENTS, MAIS C'EST TOUT.

POURQUOI AVEZ-VOUS DÉMÉNAGÉ?

OH...

MON PÈRE A CHANGÉ D'EMPLOI. **HÉ!** J'AIME BIEN TES AFFICHES, CLAUDIA.

MERCI. J'AI FAIT CES DEUX-LÀ MOI-MÊME. C'EST DE LA SÉRIGRAPHIE.

MOI, SI JE VIVAIS À NEW YORK, JE NE VOUDRAIS **JAMAIS** EN PARTIR!

DIS-MOI, COMMENT C'ÉTAIT, LÀ-BAS? COMMENT ÉTAIT TON ÉCOLE?

EH BIEN... JE FRÉQUENTAIS UNE ÉCOLE PRIVÉE.

DEVAIS-TU PORTER UN UNIFORME?

NON, ON POUVAIT PORTER DES VÊTEMENTS ORDINAIRES.

COMMENT Y ALLAIS-TU?

EN MÉTRO.

SUPER!

BON, REVENONS À NOTRE CLUB DE BABY-SITTERS...

JE PENSE QU'ON DEVRAIT FAIRE DEUX LISTES.

CE SONT DES... HEU, IL T'EN RESTE SEULEMENT CINQ.

VAS-Y! J'AI PLEIN DE PROVISIONS EN RÉSERVE.

MES PARENTS NE LE SAVENT PAS.

NON, MERCI...

JE... HEU... SUIS AU RÉGIME.

TOI?!

TU ES DÉJÀ MINCE! COMBIEN PÈSES-TU?

KRISTY!

C'EST DANGEREUX D'ÊTRE AU RÉGIME SI CE N'EST PAS NÉCESSAIRE.

MA MÈRE L'A DIT. TA MÈRE EST-ELLE AU COURANT?

EH BIEN, ELLE...

JE PARIE QU'ELLE NE LE SAIT PAS!

18 H 10! OH NON! PAPA DÉTESTE QUE JE SOIS EN RETARD. JE DOIS Y ALLER.

ATTENDS! ON N'A PAS FINI DE PLANIFIER! RETROUVONS-NOUS DEMAIN APRÈS LE DÎNER, PRÈS DU TERRAIN DE BALLON CAPTIF.

D'ACCORD! À DEMAIN!

VENDREDI MIDI

STACEY ET CLAUDIA DEVRAIENT ARRIVER BIENTÔT.

Poc

Tchac!

MAINTENANT QUE TOUT LE MONDE EST LÀ...

ON PEUT DISCUTER DE LA PHASE FINALE.

LA **PUBLICITÉ**. IL FAUT INFORMER LES GENS DE CE QU'ON FAIT. LES AFFICHES SONT LE MOYEN LE PLUS FACILE.

ON PEUT CRÉER UNE ANNONCE ET MA MÈRE LA PHOTOCOPIERA À SON BUREAU.

ON METTRA DES AFFICHES PARTOUT OÙ ON PEUT SE RENDRE À VÉLO.

TON PÈRE TE LAISSERA GARDER DANS UN AUTRE QUARTIER, HEIN?

DU MOMENT QUE CE N'EST PAS **TROP** LOIN...

JE SUPPOSE.

BON, MAINTENANT...

OUBLIE JANINE!

ON VA TOUTES RÉFLÉCHIR À NOTRE LOGO. ON EST UN CLUB. ON DOIT TOUTES ÊTRE D'ACCORD.

QU'EST-CE QUE ÇA POURRAIT ÊTRE?

EH BIEN...

ÇA DOIT AVOIR UN RAPPORT AVEC LE BABY-SITTING...

COMME UN ENFANT OU UNE MAIN TENDUE.

POURQUOI PAS UN CUBE ALPHABET AVEC NOS INITIALES?

BONNE IDÉE, MAIS ON EST QUATRE, ET ON NE PEUT MONTRER QUE TROIS FACES D'UN CUBE EN MÊME TEMPS...

ATTENDEZ UNE MINUTE!

J'AI TROUVÉ! JE POURRAIS DESSINER QUELQUE CHOSE COMME CECI...

CHAPITRE 5

SAMEDI

BONJOUR, C'EST MME PIKE? ICI KRISTY THOMAS. JE VOULAIS VOUS PARLER D'UNE ENTREPRISE QUE J'AI FONDÉE.

MME NEWTON? C'EST MARY ANNE SPIER. KRISTY A EU UNE TRÈS BONNE IDÉE!

MME SMITH? BONJOUR, ICI CLAUDIA KISHI, VOTRE VOISINE...

BONJOUR, C'EST BIEN LE JOURNAL DE STONEYBROOK? J'AIMERAIS PASSER UNE ANNONCE CETTE SEMAINE.

MERCREDI? CE SERAIT PARFAIT!

OH, J'AI HÂTE!

58

59

OH NON! JE DOIS ALLER CHEZ MOI. JE REVIENS TOUT DE SUITE.

STACEY, SI TU SUIS ENCORE CE STUPIDE RÉGIME, DIS-LE. TU N'AS PAS BESOIN DE TE SAUVER.

NON, CE N'EST PAS ÇA...

ÉCOUTE, JE VAIS REMETTRE LE SAC À SA PLACE.

J'AI JUSTE... OUBLIÉ QUELQUE CHOSE. ÇA VA ME PRENDRE UNE MINUTE.

VINGT MINUTES PLUS TARD...

OÙ EST-CE?

QUOI DONC?

CE QUE TU AVAIS OUBLIÉ.

NON, NON, J'AVAIS OUBLIÉ DE **FAIRE** QUELQUE CHOSE. MAIS C'EST FAIT.

ALORS, POURQUOI...

STACEY, REGARDE L'AFFICHE QU'ON A CRÉÉE.

OOOH, C'EST SUPER.

Vous avez besoin d'une gardienne? Gagnez du temps!

Appelez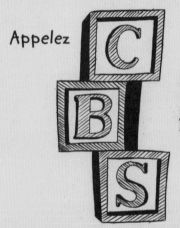

le Club des
Baby-Sitters

555 - 0457

les lundi, mercredi et vendredi de 17 h 30 à 18 h.
Quatre gardiennes expérimentées,

prêtes à
travailler :

★ la fin de semaine
★ après l'école
★ le soir

Le Club des Baby-Sitters
555-0457
L-Me-V : 17 h 30-18 h

Le Club des Baby-Sitters
555-0457
L-Me-V : 17 h 30-18 h

Le Club des Baby-Sitters
555-0457
L-Me-V : 17 h 30-18 h

Le Club des Baby-Sitters
555-0457
L-Me-V : 17 h 30-18 h

Le Club des Baby-Sitters
555-0457
L-Me-V : 17 h 30-18 h

Le Club des Baby-Sitters
555-0457
L-Me-V : 17 h 30-18 h

Le Club des Baby-Sitters
555-0457
L-Me-V : 17 h 30-18 h

Le Club des Baby-Sitters
555-0457
L-Me-V : 17 h 30-18 h

Le Club des Baby-Sitters
555-0457
L-Me-V : 17 h 30-18 h

Le Club des Baby-Sitters
555-0457
L-Me-V : 17 h 30-18 h

Le Club des Baby-Sitters
555-0457
L-Me-V : 17 h 30-18 h

Le Club des Baby-Sitters
555-0457
L-Me-V : 17 h 30-18 h

DING
DONG

KRISTY!
WATSON
EST ICI!

PAF

J'ARRIVE.

CLOMP
CLOMP

SURPRISE!

ESS

QUOI?

C'EST GENTIL, NON?
WATSON A APPORTÉ
DES METS CHINOIS!

64

ON VA MANGER AVEC VOUS AVANT DE SORTIR.

QUI S'OCCUPE DE **TES** ENFANTS?

J'AI TROUVÉ UNE BONNE GARDIENNE.

ELLE S'EST OCCUPÉE D'ANDREW ET KAREN CE MATIN QUAND JE TRAVAILLAIS. ILS L'ONT BEAUCOUP AIMÉE.

OH.

THOMAS

ESS

SNIFFFF...

Hum.

MAMAN?
RESTE-T-IL
DU CHILI?

QU'Y A-T-IL, KRISTY?
JE PENSAIS QUE TU
AIMAIS LA CUISINE
CHINOISE.

OUAIS, MAIS
ÇA NE ME DIT
RIEN CE SOIR.

IL N'Y A PLUS
DE CHILI. MANGE
UN SANDWICH AU
BEURRE D'ARACHIDE
SI TU VEUX.

69

LA VÉRITÉ... C'EST QUE WATSON EST UN TRÈS BON PÈRE.

IL VOIT KAREN ET ANDREW TOUT LE TEMPS ET N'OUBLIE JAMAIS LES FÊTES...

PAS COMME **MON** PÈRE.

MAMAN, EXCUSE-MOI D'AVOIR ÉTÉ IMPOLIE. JE N'AI PAS APPRIS MA LEÇON SUR LE DÉCORUM.

J'ESPÈRE QUE TU T'ES AMUSÉE CE SOIR. JE T'AIME. KRISTY.

CHAPITRE 6

LE MERCREDI, EN RENTRANT DE L'ÉCOLE...

BON, OÙ EST LE JOURNAL?

flap
flap

SALUT, KRISTY! QUE FAIS-TU?

REGARDE! NOTRE ANNONCE!

OOH! MONTRE-MOI!

GÉNIAL!

SI ON TERMINE LA DISTRIBUTION DES AFFICHES AUJOURD'HUI, ON AURA PEUT-ÊTRE DES APPELS VENDREDI.

JE SAIS!

MARY ANNE POURRAIT NOUS AIDER.

STACEY AUSSI!

NON, ELLE EST OCCUPÉE CET APRÈS-MIDI.

QUE FAIT-ELLE?

JE NE SAIS PAS. ES-TU PRÊTE?

VOYONS SI KATHY EST ICI. ELLE GARDE DAVID MICHAEL AUJOURD'HUI.

PARFAIT! MAMAN A FAIT LES PHOTOCOPIES!

VOILÀ! LA DERNIÈRE AFFICHE!

IL NE RESTE PLUS QU'À ATTENDRE LES APPELS.

VENDREDI

Le Club des Baby-Sitters

L-Me-V : 17 h 30 - 18 h

ENTRE!

LE TÉLÉPHONE NE VA PAS SE SAUVER, TU SAIS.

JE SAIS. JE SUIS JUSTE IMPATIENTE.

MOI AUSSI!

POUF!

J'AI ATTENDU CETTE JOURNÉE TOUTE LA SEMAINE! IL FAUT QUE ÇA MARCHE! ON VA AVOIR DES CLIENTS, HEIN?

TOC TOC

C'EST SÛREMENT MARY ANNE.

AH OUI. ENTRE!

HUM.

Le Club des Baby-Sitters

L-Me-V : 17 h 30 – 18 h

J'EXAMINAIS VOTRE AFFICHE DU COULOIR, ET JE ME DEMANDAIS SI VOUS AVIEZ FAIT UNE ERREUR.

QUOI?

Le Club des Baby-Sitters

-Me-V : 17 h 30 – 18 h

EH BIEN, JE ME DEMANDAIS S'IL FALLAIT METTRE DES MAJUSCULES AUX TROIS MOTS OU JUSTE AU MOT CLUB. JE NE SUIS PAS CERTAINE.

AUSSI, JE NE SAIS PAS S'IL NE VAUDRAIT PAS MIEUX RETIRER LE TRAIT D'UNION ENTRE BABY ET SITTERS.

SALUT, LES FILLES!

SAUVÉES!

SALUT, STACEY!

BAM!

Le Club des
Baby-Sitters

L-Me-V : 17 h 30 – 18 h

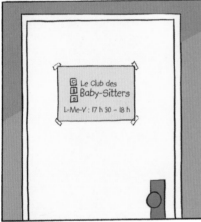

17 h 29

DRING

JE N'Y CROIS PAS!

JE VAIS RÉPONDRE! JE VAIS RÉPONDRE!

DRINNG DRING

CLUB DES BABY-SITTERS, BONJOUR!

KRISTY, C'EST TA MÈRE.

MAMAN! CE SONT NOS HEURES DE BUREAU!

TU N'ES PAS CENSÉE...

QUOI? VRAIMENT? OH... ATTENDS UNE MINUTE.

MA MÈRE A BESOIN D'UNE GARDIENNE POUR DAVID MICHAEL. KATHY NE PEUT PAS MERCREDI.

LAISSE-MOI REGARDER NOTRE CARNET DE RENDEZ-VOUS.

MARY ANNE, TU AS RENDEZ-VOUS CHEZ LE DENTISTE CE JOUR-LÀ ET J'AI UN COURS D'ART.

IL RESTE STACEY ET TOI, KRISTY.

QUE FAIT-ON?

UNE SECONDE, MAMAN.

C'EST **TON** FRÈRE.

MAIS SI TU Y VAS, TU RENCONTRERAS D'AUTRES PERSONNES DU QUARTIER. MES GRANDS FRÈRES, ENTRE AUTRES.

TES FRÈRES?

ET QUE FERAS-TU PENDANT QUE JE GARDERAI? TU VAS RESTER À M'OBSERVER?

J'ESPÈRE QUE JE GARDERAI AILLEURS. MAMAN?

STACEY VA Y ALLER. D'OÙ APPELLES-TU? AH, DU BUREAU.

LIBÈRE LA LIGNE, KRISTY.

MAMAN, JE DOIS RACCROCHER.

JE PEUX RÉPONDRE?

CLUB DES BABY-SITTERS, BONJOUR!

C'EST UNE ERREUR. IL N'Y A PAS DE JIM BARTOLINI ICI.

DRING!!!

RÉPONDS, KRISTY. TU ES LA PRÉSIDENTE!

84

JE VAIS Y ALLER, MOI. JE SUIS CURIEUSE DE LES CONNAÎTRE.

TRÈS BIEN. C'EST TOI QUI T'EN OCCUPES.

DRING!

17 H 55. UN DERNIER APPEL.

ALLÔ? QUOI?

C'EST UN GARÇON AU BOUT DU FIL. IL DIT QU'IL S'APPELLE JIM BARTOLINI ET VEUT SAVOIR S'IL A REÇU DES APPELS.

TU BLAGUES?

QUOI?

ATTENDS UNE SECONDE!!

SAM! C'EST TOI?

SALUT, KRISTY! C'EST CLAUDIA. MME NEWTON A APPELÉ. ELLE VOULAIT UNE GARDIENNE POUR JEUDI.

AH BON?

ALORS, J'AI ACCEPTÉ.

C'EST PARFAIT, CLAUDIA.

JUSTE PARCE QUE C'EST SON NUMÉRO, ELLE PEUT AVOIR LE PREMIER CHOIX!

MME NEWTON M'A **TOUJOURS** APPELÉE EN PREMIER. DU MOINS **JUSQU'À PRÉSENT.**

BON... AU MOINS, J'AI UNE NOUVELLE CLIENTE. BABETTE ET BLANCHETTE MCKEEVER, MERCREDI. J'AI HÂTE!

CHAPITRE 7

MERCREDI APRÈS-MIDI.

BONJOUR STACEY! ENTRE! JE PARS DANS UNE MINUTE.

VOICI LA CUISINE. LE LAVE-VAISSELLE EST BRISÉ. DAVID MICHAEL PEUT AVOIR DES BISCUITS COMME COLLATION. MAIS RIEN APRÈS 16 H 30...

IL EST ALLERGIQUE AU CHOCOLAT. OH, VOICI LOUIE, IL EST TRÈS GENTIL. LES NUMÉROS DE TÉLÉPHONE SONT SUR LE BABILLARD...

CELUI DE MA MÈRE EST SUR LE TÉLÉPHONE. JE SERAI CHEZ LES MCKEEVER. LA TÉLÉ EST DANS LA SALLE DE JEU. DAVID MICHAEL ADORE JOUER À CANDYLAND. LE JEU EST DANS LE MEUBLE SOUS LA CHAÎNE STÉRÉO.

VÉRIFIE S'IL Y A UN MOT DE SON PROF DANS SON SAC À DOS. DES QUESTIONS?

CLIC!

POC!

. . .

SALUT.

ALLÔÔÔ!

TU DOIS ÊTRE STACEY.

KRISTY T'A PARLÉ DE MOI?

ESS

93

TU... JE VAIS LE DIRE À MAMAN!

ZOUM!

HÉ, MINUS, VIENS! ON DOIT COMMENCER À JOUER SI ON VEUT FAIRE UN CHAMPIONNAT.

PENDANT CE TEMPS...

OUI?

BONJOUR. JE SUIS KRISTY THOMAS. JE VIENS GARDER BABETTE ET BLANCHETTE.

CETTE MAISON ME SEMBLE TROP PROPRE.

ALORS, OÙ SONT BABETTE ET BLANCHETTE?

DANS LA SALLE DE LAVAGE.

LA SALLE DE **LAVAGE**?!

ELLES SONT UN PEU TURBULENTES.

OH, JE SUIS HABITUÉE!

LAISSE-MOI ME PRÉSENTER.

JE SUIS MLLE HARGREAVE, LA NIÈCE DE MME MCKEEVER. ELLE EST EN VOYAGE ET J'AI UN RENDEZ-VOUS CET APRÈS-MIDI.

IL FAUT QUELQU'UN EN PERMANENCE POUR BABETTE ET BLANCHETTE.

C'EST ÉVIDENT, NON?

LAISSONS-LES SORTIR. ELLES ONT SÛREMENT ENVIE DE JOUER.

TRÈS BIEN.

TU ES PRÊTE? CES DEUX MONSTRES VONT FINIR PAR ARRACHER LA PORTE!

TCHAC!

HOLA!

VOUS ALLEZ RESTER ICI TOUT L'APRÈS-MIDI.

PENDANT CE TEMPS, CHEZ MOI...

ARRÊTE DE TRICHER, MINUS!

JE NE TRICHE PAS!

KRISTY!

PLUS TARD.

COMMENT ÇA S'EST PASSÉ?

TON GRAND FRÈRE EST SUPER BEAU!

JE PARLAIS DU **TRAVAIL!**

OH... TRÈS BIEN.

J'AI DÉCIDÉ QUE DORÉNAVANT LES MEMBRES DU CLUB DEVRONT TENIR UN CAHIER DE BORD.

APRÈS AVOIR GARDÉ, ON ÉCRIRA CE QUI S'EST PASSÉ DANS UN CAHIER ET LES AUTRES LE LIRONT.

COMME ÇA, ON APPRENDRA DES EXPÉRIENCES DES AUTRES.

ET ON NE FERA PAS LES MÊMES ERREURS.

PAR EXEMPLE : FINI LES CHIENS!

Le vendredi 26 septembre

   Kristy veut qu'on fasse un
compte-rendu après avoir gardé.
Mon premier travail pour le club
était hier. J'ai gardé Jamie
Newton. Sauf qu'il n'était pas
seul : il y avait aussi ses cousins.
De vrais petits DIABLES!

                        * Claudia *

PERSONNE. MAIS JE NE BOUGERAI PAS.

PFFF!

BOUM

A-T-ON DÉJÀ EU UNE GARDIENNE AUSSI MÉCHANTE?

NON!

NON!

Snif

EST-CE QU'ON VA LA LAISSER FAIRE?

NON!

BON, ON Y VA!

HIIII-YAH! JE SUIS UN NINJA! TU ES UN HOMME MORT! HEU, UNE FILLE MORTE!

PFFFF.

Le samedi 27 septembre

Je ne sais pas pourquoi Kristy se plaint autant! Les enfants des Watson sont mignons. Je pense qu'elle les aimerait si elle les gardait. Lis-tu ceci, Kristy? J'espère que oui. Ce cahier sert à noter nos expériences et nos problèmes, surtout nos problèmes.

Et il y a eu quelques difficultés chez les Watson...

Mary Anne

CHAPITRE 9

EN ARRIVANT, MARY ANNE A REMARQUÉ QUE LA MAISON ÉTAIT **IMMENSE**!

IMPRESSIONNANT.

ros de phone

PAPA! N'OUBLIE PAS DE LUI PRÉSENTER LE CHAT!

MARY ANNE, VOICI NOTRE CHAT, BOUBOU.

PATAPOUF.

IL PÈSE 8 KILOS.

AU SUJET DE BOUBOU, IL FAUT QUE JE TE DISE...

IL MORD ET GRIFFE SI ON LE PROVOQUE.

C'EST UN CHAT DE GARDE!

C'EST PRÉFÉRABLE DE L'ÉVITER. JE POURRAIS L'ENFERMER PENDANT MON ABSENCE, MAIS IL N'AIME PAS BEAUCOUP ÇA.

IL A GRUGÉ LA PORTE DE LA SALLE DE LAVAGE!

ESSAIE DE L'IGNORER. ET **NE** LE TOUCHE **PAS**!

BON, C'EST TOUT. DES QUESTIONS?

ET MME PORTER, PAPA?

OH, JE CROIS QU'ELLE EST EN VACANCES. PAS BESOIN DE T'INQUIÉTER.

MME PORTER EST LA VIEILLE DAME D'À CÔTÉ. ELLE EST UN PEU EXCENTRIQUE... KAREN EST CONVAINCUE QUE C'EST UNE SORCIÈRE.

NOTRE MAMAN VA SE REMARIER, ET ON AURA UNE MAMAN ET **DEUX** PAPAS.

OUAIS.

SI NOTRE PAPA SE REMARIE, COMBIEN DE MAMANS ET DE PAPAS ON AURA, ANDREW?

OUAIS.

VENEZ, IL FAIT SOLEIL. ALLONS JOUER DEHORS!

OUI, SUPER!

VEUX-TU JOUER DEHORS, ANDREW?

OUAIS!

TU VOIS CETTE MAISON?

CELLE-LÀ, À CÔTÉ!

OUAIS?

C'EST LÀ QUE VIT MME PORTER. ET C'EST UNE VRAIE DE VRAIE SORCIÈRE. SON NOM DE SORCIÈRE EST MORBIDA DESTINÉE.

ELLE N'EST PLUS
À LA FENÊTRE!

ELLE S'APPROCHE DE
LA PORTE, JE LE SAIS!

PFFF

BON, BON.

KAREN, OCCUPE-
TOI DE TON FRÈRE.
JE REVIENS TOUT
DE SUITE.

BOUBOU!

BOUBOU! HÉ, GROS MINOU!

BOUBOU. GROS MINOU.

AHH!

CE GROS CHAT DÉTERRE MES CHRYSANTHÈMES.

JE SAIS, JE SUIS DÉSOLÉE. J'ESSAIE DE LE FAIRE PARTIR...

KSSSSS!

ZIP!

J'AI CE QU'IL FAUT, JEUNE FILLE.

MIAO...

CANAILLE!

LES ENFANTS ET LES ANIMAUX... QUEL FLÉAU!

BOUBOU!

AS-TU ENTENDU? C'ÉTAIT UN MAUVAIS SORT!

« CANAILLE »? NON, CE N'EST PAS UN MAUVAIS SORT. C'EST UN VRAI MOT.

TU ES CERTAINE?

ÉCOUTE, AS-TU VU MORB... MME PORTER MÉLANGER DES HERBES OU CHERCHER DES PATTES DE CHAUVE-SOURIS?

NON...

L'AS-TU VUE ÉCRASER DES CHAMPIGNONS VÉNÉNEUX OU PRÉPARER UNE POTION?

NON...

MAIS REGARDE BOUBOU, IL DEVIENT FOU!

KSSSSSSSS

C'EST JUSTE UN CHAT. LES CHATS FONT DES DRÔLES DE...

REGARDE!

MORBIDA DESTINÉE EST ENCORE À LA FENÊTRE...

C'EST UN SORT.

LES SORTS N'EXISTENT PAS.

JE L'ESPÈRE...

CHAPITRE 10

À LA RÉUNION SUIVANTE DU CBS...

BONJOUR, MME MCKEEVER.

BABETTE ET BLANCHETTE SONT GENTILLES, MAIS NOUS NE GARDONS **PAS** LES ANIMAUX. DÉSOLÉE.

CLUB DES BABY-SITTERS, BONJOUR!

CLUB DES BABY-SITTERS, BONJOUR!

HÉ, STACEY...

SI ON COMPTAIT COMBIEN LE CLUB A GAGNÉ JUSQU'À PRÉSENT?

D'ACCORD!

$$4$$
$$+5.50$$
$$\overline{9.50}$$

$$\begin{array}{r} 10 \\ +\ 6 \\ \hline 16 \end{array}$$

$$5+5+5...$$

$$2 \times 10 = 20$$

$$16.25 \div 3 ...$$

52,75 $.

CE N'EST PAS MAL!

ON DEVRAIT TOUTES DONNER 5 $ POUR SE FAIRE UN REPAS-PIZZA SAMEDI APRÈS-MIDI!

OUI, POUR CÉLÉBRER NOTRE RÉUSSITE!

AVEC DES BOISSONS GAZEUSES ET DES BONBONS!

DE LA BOUFFE À VOLONTÉ!

OH, STACEY, JE SUIS DÉSOLÉE. ON A OUBLIÉ TON RÉGIME...

NE T'EN FAIS PAS. JE NE POURRAI PEUT-ÊTRE PAS VENIR.

JE VAIS... HEU... À NEW YORK VENDREDI. JE NE REVIENDRAI PEUT-ÊTRE PAS À TEMPS.

TU NE VIENS PAS **JUSTE** D'Y ALLER?

IL Y A BEAUCOUP DE CHOSES À RÉGLER, AVEC LE DÉMÉNAGEMENT...

TU NE M'AVAIS PAS DIT QUE TOUT ÉTAIT TERMINÉ?

HEU... ON DOIT AUSSI VOIR DES AMIS. HÉ, IL EST 18 H! JE DOIS PARTIR!

OH, BONJOUR, KRISTY.

BONJOUR.

HEU... MAMAN, WATSON EST DANS LE SALON.

JE SAIS.

RESTE-T-IL POUR SOUPER?

OUI.

C'EST LA TROISIÈME FOIS QU'IL SOUPE ICI CETTE SEMAINE.

KRISTY...

TCHAC TCHAC

QU'A-T-IL APPORTÉ, CETTE FOIS? DES METS GRECS? ITALIENS?

RIEN. ON MANGE DES RESTES.

CHÉRIE, IRAIS-TU TE CHANGER ET METTRE UNE ROBE, S'IL TE PLAÎT?

UNE **ROBE?** POURQUOI?

PARCE QUE C'EST TA MÈRE QUI TE LE DEMANDE, C'EST TOUT.

METS LA BLEU ET BLANC QU'ON VIENT D'ACHETER, D'ACCORD?

OK.

BON.

QUELQU'UN VA ME DIRE CE QUI SE PASSE? POURQUOI FAIRE AUTANT DE **CHICHI?**

DES SPAGHETTIS ET DU SODA, CE N'EST PAS DU CHICHI.

JE VEUX VOUS ANNONCER QUELQUE CHOSE D'IMPORTANT.

WATSON M'A DEMANDÉ SI JE VOULAIS QUE NOUS NOUS FIANCIONS.

C'EST SUPER, MAMAN.

FÉLICITATIONS!

OUI!

QU'EST-CE QUE ÇA VEUT DIRE?

QUE TA MÈRE N'EST PAS ENCORE PRÊTE À ACCEPTER UN ANNEAU DE MARIAGE!

BRAVO, MAMAN.

MAIS J'Y RÉFLÉCHIS.

SI VOUS VOUS MARIEZ, OÙ VIVRONS-NOUS? PAPA TE VERSERA-T-IL TOUJOURS UNE PENSION ALIMENTAIRE?

JE NE SAIS PAS. JE N'AI PAS ENCORE PENSÉ À TOUT ÇA.

CHAPITRE 11

C'EST STACEY ET SA FAMILLE. ILS VONT À NEW YORK.

ELLE A DIT QU'ILS REVIENDRONT DEMAIN, MAIS PEUT-ÊTRE SEULEMENT DANS LA SOIRÉE.

ATTENDONS POUR LA PIZZA. CE SERA PLUS AMUSANT SI TOUT LE MONDE EST LÀ. LA FIN DE SEMAINE PROCHAINE, PEUT-ÊTRE?

MAIS ON VOULAIT FAIRE ÇA DEMAIN, NON?

ACHETONS TOUT SAUF LA PIZZA DEMAIN MATIN. SI STACEY REVIENT ASSEZ TÔT, ON COMMANDERA LA PIZZA À LA DERNIÈRE MINUTE. SINON, ON REMETTRA ÇA À LA SEMAINE PROCHAINE.

C'EST CE QUI A ÉTÉ DÉCIDÉ.

ET C'EST CE QU'ON A **TENTÉ** DE FAIRE...

MAIS ÇA N'A PAS MARCHÉ.

JE SUIS EN RETARD!

OHHHHH!

MAMAN!

BURP...

QUE...

DAVID MICHAEL EST MALADE.

MAMAAAAN!

CHARLIE NE TROUVE PAS SON GANT DE BASEBALL...

EN RETARD!

ET SAM EST EN RETARD.

DRING!

ALLÔ!

MARY ANNE?

PAPAMLAISPAGENTPZA!!

QUOI? JE NE COMPRENDS RIEN.

TON PÈRE... TE LAISSE PAS... DÉPENSER TON ARGENT... POUR QUOI? AVOIR UN **VISA**?

OH, POUR ACHETER DE LA **PIZZA**! POURQUOI PAS?

IL VEUT QUE J'ÉCONOMISE POUR DES TRUCS PLUS IMPORTANTS, COMME LES VÊTEMENTS ET L'UNIVERSITÉ.

IL VEUT QUE TU PAIES POUR TES **VÊTEMENTS**?

JE NE SAIS PAS... IL NE VEUT PAS QUE JE DÉPENSE 5 $ POUR LA PIZZA, C'EST TOUT.

EH BIEN... ON AURA QUAND MÊME 15 $ QUAND STACEY NOUS DONNERA SA PART.

UNE GRANDE PIZZA POUR NOUS QUATRE, ÇA SUFFIRA. STACEY N'EN MANGERA PROBABLEMENT PAS, DE TOUTE FAÇON.

KRISTY, JE NE VIENDRAI PAS AU REPAS-PIZZA!

POURQUOI PAS?

JE NE VOUS LAISSERAI PAS PAYER POUR TOUT... ATTENDS UNE SECONDE!

BON, MERCI DE M'AVOIR AIDÉE POUR LES MATHS.

TON PÈRE VIENT D'ENTRER? TU DOIS RACCROCHER?

OUI! SALUT, JUNE!

« JUNE »?

DRING!

ALLÔ!

DEVINE CE QUI M'ARRIVE...

140

DÉSOLÉE, STACEY N'EST PAS ICI.

OÙ EST-ELLE?

HEU... ELLE EST RESTÉE À NEW YORK CHEZ DES AMIS. ELLE SERA DE RETOUR DEMAIN SOIR.

MERCI.

DRING!

Bip!

ALLÔ!

SALUT, C'EST MOI.

SALUT! TON PÈRE A-T-IL CHANGÉ D'IDÉE?

TU BLAGUES? NON, JE VOULAIS JUSTE TE DIRE QUE STACEY EST CHEZ ELLE. JE SUIS CHEZ LES PIKE, QUI M'ONT DEMANDÉ DE GARDER. EN VENANT ICI À VÉLO, J'AI CROISÉ LA VOITURE DES MCGILL. STACEY NE M'A PAS VUE.

ES-TU CERTAINE QU'ELLE ÉTAIT DANS L'AUTO?

CERTAINE.

DRING!

ALLÔ!

KRISTY! AS-TU FINI AVEC LE TÉLÉPHONE?

C'EST POUR TOI.

OH... ALLÔ!

QUOI? OH NON! MAIS DAVID MICHAEL EST MALADE... LE CLUB DES BABY-SITTERS? JE VAIS VOIR AVEC KRISTY. OUI, DANS VINGT MINUTES. QUELQU'UN SERA LÀ.

KRISTY, IL Y A UNE URGENCE. WATSON A BESOIN D'UNE DE VOUS POUR GARDER SES ENFANTS CET APRÈS-MIDI.

JE LUI AURAIS DIT DE LES AMENER ICI, MAIS JE CRAINS QU'ILS ATTRAPENT LE VIRUS DE DAVID MICHAEL.

OH, MAMAN! IL VA FALLOIR QUE CE SOIT **MOI!**

CHAPITRE 12

L'URGENCE DE WATSON, C'ÉTAIT QUE SON EX-FEMME S'ÉTAIT CASSÉ LA CHEVILLE ET ÉTAIT À L'HÔPITAL.

WATSON DEVAIT S'OCCUPER DES FORMULAIRES D'ASSURANCE ET LA RAMENER CHEZ ELLE, CAR SON FUTUR MARI ÉTAIT ABSENT POUR LA FIN DE SEMAINE.

VOICI ANDREW ET KAREN... ILS N'ONT PAS ENCORE MANGÉ. UN SANDWICH AU BEURRE D'ARACHIDE ET À LA CONFITURE SERA PARFAIT. KAREN T'AIDERA À TOUT TROUVER.

ANDREW FAIT UNE SIESTE VERS 14 H.

J'AURAIS AIMÉ TE FAIRE VISITER LA MAISON, MAIS KAREN LE FERA À MA PLACE.

D'ACCORD, MA CHÉRIE?

D'ACCORD.

ALLÔ, BOU-BA-BOUBOU! C'EST LE CHAT DE PAPA. IL EST TRÈS VIEUX. LA SORCIÈRE D'À CÔTÉ LUI A DÉJÀ JETÉ DEUX MAUVAIS SORTS!

HUM. VENEZ. ON VA MANGER.

MIAM! MIAM! C'EST BON! TU ES UNE BONNE GARDIENNE. TU FAIS BIEN À MANGER!

OUAIS.

EST-CE QUE MAMAN VA BIEN?

BIEN SÛR! UNE CHEVILLE CASSÉE, CE N'EST PAS SI GRAVE. ELLE DEVRA PORTER UN PLÂTRE, MAIS DANS QUELQUES SEMAINES, ELLE SERA GUÉRIE. C'EST AMUSANT D'AVOIR UN PLÂTRE.

EN AS-TU DÉJÀ EU UN?

L'ÉTÉ DERNIER, JE ME SUIS CASSÉ LA CHEVILLE, COMME TA MÈRE.

COMMENT C'EST ARRIVÉ?

JE PROMENAIS NOTRE CHIEN LOUIE...

TU AS UN CHIEN? JE POURRAI LE VOIR UN JOUR?

JE SUPPOSE. EN FAIT, JE NE MARCHAIS PAS, J'ÉTAIS À VÉLO...

LOUIE COURAIT EN LAISSE À CÔTÉ DU VÉLO. EN ARRIVANT À UN ARBRE, IL EST ALLÉ D'UN CÔTÉ ET MOI DE L'AUTRE. ET **WOUCH!**

HI, HI!

HI!

TU ES KRISTY, HEIN?

OUI.

TA MÈRE EST ELIZABETH THOMAS?

C'EST BIEN ÇA.

MON PÈRE DIT QU'IL AIME TA MÈRE.

JE SUPPOSE.

S'ILS SE MARIENT, TA MÈRE VA ÊTRE MA MAMAN.

TA BELLE-MAMAN. ENFIN, TA BELLE-MÈRE. JE SERAIS VOTRE DEMI-SŒUR, À ANDREW ET TOI.

OUAIS.

J'IMAGINE QUE ÇA IRAIT.

AIMES-TU AVOIR DES PARENTS DIVORCÉS?

PAS TELLEMENT.

POURQUOI?

PARCE QUE JE NE VOIS JAMAIS MON PÈRE. IL VIT EN CALIFORNIE. C'EST TRÈS LOIN D'ICI.

OOH...

ON N'AIME PAS AVOIR DES PARENTS DIVORCÉS, NOUS NON PLUS. MAIS ON VOIT SOUVENT NOTRE PAPA.

OUI, JE SAIS.

NOTRE MAMAN VA SE REMARIER. ON NE VEUT PAS, HEIN, ANDREW?

OUAIS.

AH BON?

NON. ON VEUT NOTRE PAPA ET NOTRE MAMAN COMME AVANT. DANS LA MÊME MAISON.

JE VOUS COMPRENDS.

SNIF SNIF!

EXCUSE-MOI, ANDREW!

QU'Y A-T-IL?

IL N'AIME PAS QU'ON PARLE DE ÇA. JE NE SUIS PAS CENSÉE EN PARLER DEVANT LUI.

OH.

QUE DIRIEZ-VOUS D'UNE GÂTERIE? DE LA CRÈME GLACÉE AU DESSERT?

LE MIDI?

OUI! LES ENFANTS DE PARENTS DIVORCÉS SONT SPÉCIAUX!

QU'EN DIS-TU, ANDREW?

OUI, J'EN VEUX.

MIAAAOU??

ATTENDS!

QUOI?

NE LE LAISSE PAS SORTIR!

MAIS IL VEUT SORTIR. IL A LE DROIT.

MME PORTER EST-ELLE CHEZ ELLE?

OH... JE NE SAIS PAS.

HEUREUSEMENT QUE J'AVAIS LU LE CAHIER DE BORD DU CLUB!

GARDONS-LE À L'INTÉRIEUR JUSQU'AU RETOUR DE TON PÈRE.

D'ACCORD.

MAIS **NOUS**, ON PEUT SORTIR.

PARCE QUE LES ENFANTS DE PARENTS DIVORCÉS SONT SPÉCIAUX.

EN PLEIN ÇA!

EN PLEIN ÇA! C'EST DRÔLE!

PLUS TARD.

BONJOUR!

COMMENT VA-T-ELLE?

ELLE EST CHEZ ELLE ET SUR SES DEUX JAMBES. ENFIN, SUR UNE JAMBE.

ÇA S'EST BIEN PASSÉ, ICI?

TRÈS BIEN.

PAPA, J'AIME KRISTY.

DOIT-ELLE RENTRER CHEZ ELLE?

EH BIEN... EST-CE QU'ANDREW DORT?

IL S'EST ENDORMI IL Y A UNE HEURE.

PEUX-TU ATTENDRE? IL DEVRAIT DORMIR ENCORE UNE DEMI-HEURE.

PRÉFÈRES-TU APPELER TA MÈRE POUR QU'ELLE TE RAMÈNE?

ELLE NE VOUDRA PAS LAISSER DAVID MICHAEL SEUL. JE PEUX ATTENDRE.

KRISTY? J'AIMERAIS QUE TU SOIS NOTRE DEMI-SŒUR TOUT DE SUITE.

HEU... ET SI J'ÉTAIS VOTRE GARDIENNE POUR L'INSTANT?

J'AIMERAIS ÇA.

OUAIS, MOI AUSSI.

KRISTY?

COMMENT ÇA S'EST PASSÉ CHEZ WATSON?

TRÈS BIEN. SES ENFANTS SONT MIGNONS. ANDREW NE PARLE PAS BEAUCOUP.

KAREN DIT QUE LE DIVORCE LUI FAIT DE LA PEINE.

C'EST SÛR, MAIS IL FAUT DIRE QU'IL A UNE GRANDE SŒUR TRÈS BAVARDE. IL N'A PRESQUE PAS **BESOIN** DE PARLER.

C'EST **VRAI** QU'ELLE PARLE BEAUCOUP. ELLE A L'AIR TRÈS INTELLIGENTE.

ELLE L'EST. ELLE VIENT DE COMMENCER LA MATERNELLE ET SON ENSEIGNANTE PENSE À LA FAIRE ENTRER EN 1RE ANNÉE EN JANVIER.

DIS DONC!

GARDERAS-TU ENCORE LES ENFANTS DE WATSON, S'IL A BESOIN DE TOI?

J'AI DÉJÀ DIT À KAREN QUE COMME JE NE SUIS PAS ENCORE SA DEMI-SŒUR, JE PEUX ÊTRE SA GARDIENNE.

MAMAN? QU'ARRIVERA-T-IL QUAND... HEU... SI TU TE MARIES AVEC WATSON?

ANDREW ET KAREN VIVRONT-ILS AVEC NOUS? IRONS-NOUS DANS LA MAISON DE WATSON? ELLE EST GRANDE.

ÇA TE DÉRANGE QUE RIEN NE SOIT ENCORE DÉCIDÉ?

OUI.

COMME WATSON N'A PAS LA GARDE DE SES ENFANTS, ILS NE VIVRAIENT PAS AVEC NOUS TOUT LE TEMPS. SEULEMENT LA FIN DE SEMAINE.

ET C'EST POSSIBLE QU'ON EMMÉNAGE CHEZ WATSON... PARCE QU'IL Y A PLUS D'ESPACE.

MAIS JE NE VEUX PAS DÉMÉNAGER!

C'EST JUSTE UNE POSSIBILITÉ.

BON.

IL EST TEMPS DE DORMIR. BONNE NUIT, MA CHÉRIE.

BONNE NUIT.

CHAPITRE 13

LUNDI.

DEVINE...

QUOI?

SAMEDI, MON PÈRE ET MOI, ON NE S'EST PRATIQUEMENT PAS PARLÉ. DIMANCHE, J'AI DIT À MON PÈRE QUE J'ALLAIS GAGNER BEAUCOUP D'ARGENT AVEC LE CLUB. JE LUI AI DEMANDÉ SI JE POUVAIS EN DÉPENSER LA MOITIÉ COMME JE LE VOULAIS, ET J'AI PROMIS DE METTRE LE RESTE À LA BANQUE. IL A DIT OUI!

DONC, JE PEUX ALLER AU REPAS-PIZZA!

C'EST SUPER!

TU AS TENU TÊTE À TON PÈRE!

MOI, **J'AI** FAIT PRESQUE **TOUS** MES DEVOIRS. J'AI EU B- EN MATHS! ET J'AI DIT À MES PARENTS QUE JE N'ÉTAIS PAS JANINE. ILS ONT DIT QU'ILS LE SAVAIENT, MAIS QUE JE DEVAIS CONSACRER UNE HEURE CHAQUE SOIR À MES DEVOIRS. ILS VONT M'AIDER, AINSI QUE MIMI.

C'EST BIEN! JE SUIS FIÈRE DE NOUS!

OUI! VEUX-TU DE LA RÉGLISSE?

ALORS, STACEY, COMMENT ÉTAIT NEW YORK?

C'EST PARCE QUE TU ES TROP OCCUPÉE À JOUER À LA POUPÉE!

JE NE JOUE PAS À LA POUPÉE... PLUS MAINTENANT!

CLAUDIA... KRISTY NE VOULAIT PAS FAIRE DE PEINE À STACEY.

AH NON? ELLE A ACCUSÉ SA MÈRE DE MENTIR!

QUEL BÉBÉ!

PARDON, LES FILLES...

VOUS CRIEZ. QU'EST-CE QUI SE PASSE? JE PEUX FAIRE QUELQUE CHOSE?

NON, MIMI. DÉSOLÉE.

BON, QUE FAIT-ON?

C'EST VRAI, QUI A EU **L'IDÉE** DE CE CLUB IDIOT?

COMME C'EST **MOI** QUI AI EU L'IDÉE DE CE CLUB IDIOT, JE VAIS Y ALLER!

ALLÔ, MME JOHANSSEN?

VIENS, MARY ANNE. PARTONS. JE CROIS QU'ON EST DE TROP, ICI.

KRISTY...

LAISSE... JE NE VEUX PAS TE PARLER.

CE SOIR-LÀ.

GRRR! GROARR!

Poc!
Poc!

MONOPOLY

BAM!

SURPRISE!

MONOPOLY

QUE SE PASSE-T-IL?

VAS-Y. DIS-LEUR!

J'AI ACCEPTÉ DE ME FIANCER.

OOH!

JOLI!

WATSON VA ÊTRE VOTRE BEAU-PÈRE!

YÉ!

QUAND ALLEZ-VOUS VOUS MARIER?

PAS AVANT PLUSIEURS MOIS.

FIOU!

CHAPITRE 14

CLAUDIA?

HUM.

VEUX-TU TOUJOURS FAIRE LA RÉUNION DU CLUB DEMAIN?

OUI, BIEN SÛR.

BON. À DEMAIN!

SALUT!

CE SOIR-LÀ, MAMAN, MES FRÈRES ET MOI SOMMES ALLÉS SOUPER CHEZ WATSON.

DONC, J'AURAI TROIS DEMI-FRÈRES ET UNE DEMI-SŒUR...

UNE BELLE-MAMAN... UN BEAU-CHIEN...

LE SOUPER EST PRÊT!

PRENEZ UN MORCEAU DE PAIN AVEC LA FOURCHETTE.

PIQUEZ-LA DANS LA CROÛTE...

ET PLONGEZ LE PAIN DANS LA FONDUE.

MIAM.

SI LE PAIN TOMBE DANS LE FROMAGE... ON DOIT EMBRASSER LA PERSONNE À NOTRE GAUCHE.

NON! OUACHE!

SI ON ÉCHAPPE DU FROMAGE SUR LA NAPPE, ON ARRÊTE DE MANGER PENDANT DEUX MINUTES!

SI ON FAIT TOMBER LE PAIN DE QUELQU'UN D'AUTRE, ON DOIT LUI OBÉIR TOUTE LA SOIRÉE!

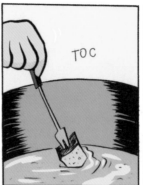

WOUHOU! HA, HA, HA! HI, HI!

J'AURAIS DÛ ÊTRE **UN PEU PLUS** GENTILLE AVEC WATSON...

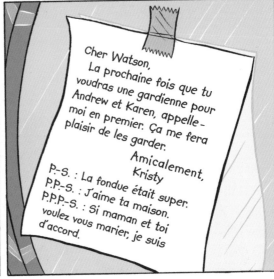

Cher Watson,
La prochaine fois que tu voudras une gardienne pour Andrew et Karen, appelle-moi en premier. Ça me fera plaisir de les garder.

Amicalement,
Kristy

P.-S. : La fondue était super.
P.P.-S. : J'aime ta maison.
P.P.P.-S. : Si maman et toi voulez vous marier, je suis d'accord.

MERCREDI APRÈS-MIDI.

JE SUIS DÉSOLÉE D'AVOIR ÉTÉ MÉCHANTE ET D'AVOIR CRIÉ.

ÇA VA.

JE SUIS DÉSOLÉE D'AVOIR MENTI.

CLAUDIA, REGRETTES-TU SEULEMENT D'AVOIR FAIT PLEURER MARY ANNE OU D'AVOIR CRIÉ APRÈS **MOI** AUSSI?

KRISTY, EXCUSE-MOI DE M'ÊTRE ÉNERVÉE. TU M'AS MISE EN COLÈRE.

COMMENT?

TU LE **SAIS.**

EN NE ME MÊLANT PAS DE MES AFFAIRES?

C'EST ÇA.

C'EST VRAI QUE J'AI MENTI.

MAIS ÇA N'A FAIT DE MAL À PERSONNE ET TU DEVAIS AVOIR UNE BONNE RAISON, PUISQUE TA MÈRE A JOUÉ LE JEU.

TU ES MON AMIE. JE NE VEUX PAS QU'ON TE FASSE DE LA PEINE.

MAIS JE SUIS AUSSI TON AMIE!

OUI, ET JE N'AIME PAS QUE MES AMIES SOIENT IMPOLIES.

SI TU N'ÉTAIS PAS MON AMIE, JE NE ME SERAIS PAS FÂCHÉE.

JE N'AIME PAS QU'ON ME MENTE, ET J'AI LE DROIT DE LE DIRE.

MAIS... JE VAIS ESSAYER DE FAIRE ATTENTION À MES PAROLES À L'AVENIR. C'EST PROMIS.

MON FRANC-PARLER ME JOUE TOUJOURS DES TOURS... DEMANDEZ À MA MÈRE!

OU À N'IMPORTE QUI!

DRING!

CLUB DES BABY-SITTERS, BONJOUR!

PLUS TARD...

LES FILLES? COMME NOS PROBLÈMES SONT RÉGLÉS, JE PENSE QU'ON DEVRAIT ORGANISER NOTRE REPAS-PIZZA.

STACEY... TU N'AS PAS À T'INQUIÉTER POUR TON RÉGIME. LA PIZZERIA FAIT DE TRÈS BONNES SALADES.

ET... ON POURRAIT FAIRE LE REPAS-PIZZA CHEZ **MOI!**

D'ACCORD! JE VAIS VENIR!

SUPER!!

ÉVIDEMMENT QUE TU PEUX LES INVITER!

POURRONT-ELLES DORMIR ICI?

OUI, J'AIME BIEN LE CLUB DES BABY-SITTERS!

APRÈS TOUT, CELA A PERMIS DE TE RAPPROCHER DE WATSON.

SAMEDI, ÇA VA?

ET ALORS...

JE N'AI PAS ÉTÉ À UNE SOIRÉE PYJAMA DEPUIS MON DÉPART DE NEW YORK!

TU AS DE LA CHANCE DE POUVOIR Y RETOURNER SOUVENT!

PFFF...

LES FILLES, J'AI QUELQUE CHOSE À VOUS DIRE.

QUOI?

VOUS SAVEZ, MON RÉGIME ET LES VOYAGES À NEW YORK... C'EST POUR ALLER CHEZ LE MÉDECIN. PARFOIS, JE DOIS DORMIR LÀ-BAS.

175

TU DOIS PROBABLEMENT T'INJECTER DE L'INSULINE CHAQUE JOUR. C'EST DUR, MAIS ÇA NE FAIT PAS DE TOI UNE PERSONNE BIZARRE. ON VA JUSTE ARRÊTER DE T'OFFRIR DES BONBONS!

ÇA NE VOUS FAIT RIEN?

OUI, ÇA NOUS FAIT QUELQUE CHOSE!

JE VEUX DIRE, ÇA NE VOUS DÉRANGE PAS?

NON, POURQUOI?

MA MÈRE AGIT COMME SI C'ÉTAIT UNE CATASTROPHE. À MON ANCIENNE ÉCOLE, JE ME FAISAIS TAQUINER À CAUSE DE MON RÉGIME ET PARCE QUE JE ME SUIS ÉVANOUIE QUELQUES FOIS.

MA MÈRE A DONC DÉCIDÉ QU'ON DÉMÉNAGERAIT DANS UNE PETITE VILLE CALME. UN ENDROIT CIVILISÉ ET TRANQUILLE.

C'EST POUR ÇA QUE TU ES VENUE ICI?

OUI. EN PARTIE.

ÇA ALORS!

JE PENSAIS QUE JE DEVAIS CACHER MON PROBLÈME. LE DÉMÉNAGEMENT ÉTAIT UNE FAÇON DE REPARTIR À ZÉRO.

MAIS VOUS LE **CACHER** ÉTAIT PIRE QUE DE LE DIRE À MES ANCIENS AMIS!

PAS BESOIN DE LE DIRE À **TOUT LE MONDE.** TU ES PLUS SOUVENT AVEC NOUS.

TU POURRAIS ÉVITER D'EN PARLER À L'ÉCOLE... SANS MENTIR.

TU AS RAISON.

MERCI, LES FILLES.

ON DEVRAIT FAIRE UNE SOIRÉE PYJAMA CHAQUE MOIS.

OUI. ET QUAND MA MÈRE ET WATSON SERONT MARIÉS, ON FERA ÇA CHEZ LUI.

TA MÈRE ET WATSON VONT SE **MARIER?**

OH, C'EST VRAI! JE NE VOUS L'AVAIS PAS DIT!

TOC TOC

HÉ, LES FILLES! MAMAN A DIT DE VOUS APPORTER ÇA. NE VOUS INQUIÉTEZ PAS, JE N'ENTRE PAS.

TON FRÈRE EST SI MIGNON, KRISTY.

SI TU LE DIS.

AIMES-TU
UN GARÇON,
KRISTY?

QUE
VEUX...

CHUT!
AVEZ-VOUS
ENTENDU?

QUOI?

À LA
FENÊTRE!

CE N'ÉTAIT
RIEN.

CLIC!

QUELLE EST LA CHOSE
LA PLUS TERRIFIANTE
QUI VOUS EST ARRIVÉE
EN GARDANT?

J'ÉTAIS À LA FOIS
EFFRAYÉE... ET HEUREUSE.

ON ÉTAIT DE NOUVEAU AMIES.

NOTRE CLUB ÉTAIT UN SUCCÈS GRÂCE À MOI, KRISTY THOMAS, ET AUX TROIS AUTRES.

J'ESPÉRAIS QUE LE CLUB DES BABY-SITTERS (MARY ANNE, CLAUDIA, STACEY ET MOI) DURERAIT TRÈS LONGTEMPS.

ANN M. MARTIN est l'auteure du *Club des Baby-Sitters*, une des collections les plus populaires de l'histoire de l'édition, avec plus de 176 millions de livres imprimés dans le monde. Elle a inspiré toute une génération de jeunes lectrices. Ses romans incluent *Belle Teal*, *A Corner of the Universe* (qui a reçu un Newbery Honor), *Here Today*, *A Dog's Life* et *On Christmas Eve*. Ann M. Martin vit dans l'État de New York, aux États-Unis.

RAINA TELGEMEIER a grandi à San Francisco, puis s'est installée à New York où elle a obtenu un diplôme en illustration de la School of Visual Arts. Elle est la créatrice de *Souris,* une bande dessinée à succès classée numéro un au palmarès du *New York Times.* Cet ouvrage, inspiré de ses souvenirs d'enfance, a remporté le Will Eisner Award for Best Publication for Teens (prix Eisner de la meilleure publication destinée aux adolescents) ainsi qu'un Boston Globe-Horn Book Honor. *Sœurs,* le pendant de *Souris,* a également été classé numéro un au palmarès du *New York Times* et a figuré parmi les succès de librairie de *USA Today. Drame* est une autre bande dessinée de Raina et aussi un succès de librairie classé numéro un au palmarès du *New York Times.* Cet ouvrage a remporté un Stonewall Book Award Honor et figure sur la liste des 10 meilleures bandes dessinées pour adolescents de la YALSA (Young Adult Library Services Association).

Raina habite à Astoria (New York) avec son mari Dave Roman, lui aussi créateur de bandes dessinées.

Autres ouvrages de
RAINA TELGEMEIER

De l'auteure à succès classée au palmarès du *New York Times*
Raina Telgemeier

Souris!

Éditions
SCHOLASTIC

Le pendent de *Souris*, numéro un au palmarès du *New York Times*
Raina Telgemeier

Sœurs

Éditions
SCHOLASTIC

Dans ce livre, Raina raconte comment elle a endommagé ses deux dents avant alors qu'elle était en 6e année. En plus de ce drame, il y a aussi le problème des garçons, un important tremblement de terre et de bons amis qui s'avèrent ne pas être si bons.

Raina a hâte d'être une grande sœur. Amara est mignonne, mais elle est aussi grincheuse et préfère jouer toute seule. Leur relation ne s'améliore pas vraiment au fil des années, mais elles doivent trouver le moyen de s'entendre. Elles sont sœurs après tout.